MISSION : ADOPTION

TITAN

MISSION : ADOPTION

Fais connaissance avec les chiots
de la collection *Mission : Adoption*

Babette
Belle
Biscuit
Boule de Neige
Cannelle
Carlo
Champion
Chichi et Wawa
Chocolat
Glaçon
Husky
Maggie et Max
Margot
Patou
Pico
Presto
Princesse
Rascal
Réglisse
Rosie
Théo
Tony
Zigzag

MISSION : ADOPTION

TITAN

ELLEN MILES

Texte français de Martine Faubert

Éditions SCHOLASTIC

À Sarah et Tobey

Catalogage avant publication de Bibliothèque et Archives Canada

Miles, Ellen

Titan / Ellen Miles ; texte français de Martine Faubert.

(Mission, adoption)
Traduction de: Moose.
Pour les 7-10 ans.

ISBN 978-1-4431-2520-8

I. Faubert, Martine II. Titre.
III. Collection: Miles, Ellen. Mission, adoption.

PZ26.3.M545Tit 2013   j813'.6   C2012-906608-7

Illustration de la couverture : Tim O'Brien
Conception graphique de la couverture originale : Steve Scott

Édition publiée par les Éditions Scholastic,
604, rue King Ouest, Toronto (Ontario) M5V 1E1.

5 4 3 2 1   Imprimé au Canada 121   13 14 15 16 17

CHAPITRE UN

— Tu as intérêt à pédaler vite! dit Sammy en montrant le ciel du doigt. Il va se mettre à pleuvoir dans deux secondes.

— Ne t'en fais pas, je vais y arriver, répliqua Charles.

Il salua son meilleur ami de la main et se mit à pédaler à toutes jambes. Tous les jours, Sammy et Charles se rendaient à l'école ensemble, à bicyclette. Mais ce jeudi-là, la mère de Sammy venait le chercher à l'école pour l'emmener chez le dentiste. Charles devait donc faire le trajet tout seul.

En passant devant le terrain de jeux, il leva les yeux vers le ciel. C'était une journée de printemps maussade. À l'heure de la récréation, il faisait beau et chaud. Mais maintenant, le soleil avait disparu et le ciel était couvert. Le vent commença à souffler en rafales, malmenant les feuilles des arbres. De gros nuages noirs s'amoncelaient et formaient une montagne sombre au-dessus de Charles.

Il n'était pas très loin de chez lui. Il se dit qu'en pédalant vite, il y arriverait avant la pluie. Il se mit debout et pédala de toutes ses forces en se balançant de chaque côté, bien agrippé à son guidon. Soudain, le vent fit tourbillonner la poussière du chemin, et il en reçut en plein visage. *Ploc!* Une grosse goutte d'eau frappa son casque. *Plic! Ploc! Plic!* Il reçut trois autres gouttes sur son visage et ses bras. Il était à bout de souffle, mais il accéléra. Un jour, son père lui avait dit qu'en pédalant très vite, on pouvait éviter les gouttes d'eau et rester sec, même par une pluie battante. Ha! Ha! Mais qui pourrait donc aller si vite? Il se rappela alors le petit sourire en coin de son père. C'était une blague!

La pluie tombait de plus en plus fort, tachant l'asphalte gris de la route qui devint vite noire. Charles sentit l'odeur caractéristique de la pluie mêlée à la poussière de la route. Pour mieux voir, il essuya l'eau qui dégoulinait de la visière de son casque. Il pleuvait à torrents, ses espadrilles étaient trempées et un filet d'eau froide lui coulait dans le dos.

Que ferait M. Mystère, s'il était là? Charles pensait à l'artiste qu'il avait vu à la fête du printemps, à son école. M. Mystère était petit, rondelet et chauve, et avait l'air très ordinaire, comme un gentil papa. Mais c'était un magicien extraordinaire. Il pouvait lire dans les pensées, faire sortir des sous de vos oreilles et transformer un foulard rouge en jaune sous vos yeux!

Charles y repensait souvent. M. Mystère avait raconté des blagues tout en faisant ses tours de magie, et les spectateurs l'avaient adoré. Deux semaines plus tard, on en parlait encore! Depuis,

Charles avait décidé de devenir magicien. À la bibliothèque, il avait trouvé un livre sur la magie, avec lequel il pourrait apprendre à faire les tours de M. Mystère.

M. Mystère pourrait-il faire cesser la pluie? Charles leva les yeux au ciel.

— Abracadabroc! cria-t-il en reprenant la formule magique de M. Mystère.

Il continuait de pleuvoir. Charles ne fut pas surpris. Il fallait probablement donner un coup de baguette magique, jeter de la poudre de perlimpinpin ou autre chose du genre.

Il renonça et ralentit un peu. À quoi bon maintenant? Il était déjà trempé jusqu'aux os et il avait froid. Il pensa à la bonne chaleur de la maison et à sa mère qui viendrait l'accueillir à la porte avec une grande serviette de bain douillette pour qu'il se sèche. Puis il retirerait ses vêtements trempés et enfilerait son pantalon molletonné et son tee-shirt Batman préféré. Avec un peu de chance, sa mère lui préparerait une tasse de chocolat chaud et la lui apporterait tandis qu'il serait bien installé sur le canapé, sous une bonne couverture, Biscuit couché à ses pieds.

Biscuit était le chiot des Fortin. Charles l'aimait beaucoup. Quand il rentrait à la maison, il adorait voir frétiller sa queue de joie, si fort que tout son corps se tortillait. Il adorait aussi le voir tout excité dans l'attente d'une activité : Manger? Se promener en auto? Jouer avec une balle? Biscuit était toujours partant, quelle que soit l'activité proposée. Et Charles adorait que Biscuit dorme contre lui, roulé en boule et le museau posé sur ses genoux.

Les Fortin avaient déjà hébergé de nombreux chiots, car ils étaient une famille d'accueil. Autrement dit, ils gardaient de jeunes chiens en attendant de leur trouver un foyer permanent. Certains restaient quelques jours, d'autres, quelques semaines. Mais chaque chiot repartait seulement quand on avait trouvé la famille parfaite pour lui. Biscuit avait été accueilli par les Fortin. Cette famille, composée de M. et Mme Fortin, de Charles, de sa grande sœur Rosalie et de son petit frère « le Haricot », lui convenait parfaitement. Alors le petit chiot roux, avec une tache blanche en forme de cœur sur la poitrine, était resté pour de bon.

La pensée de Biscuit réchauffa un peu Charles, même si la pluie n'avait pas cessé. Il soupira. Il n'était plus qu'à quelques pâtés de maisons de chez lui, mais il avait l'impression que c'était encore à des kilomètres.

Puis il entendit un coup de tonnerre.

— Aïe! dit-il en regardant le ciel.

La masse de nuages noirs était maintenant deux fois plus grosse. Haut dans les airs, elle ressemblait au château du géant dans le conte *Jack et le Haricot magique*.

La pluie, c'était une chose, mais maintenant, il tonnait! Charles se mit de nouveau debout et pédala très fort.

Une voiture klaxonna. Charles l'ignora. Il roulait bien à droite, comme il fallait. Il se concentra pour pédaler le plus vite possible.

La voiture klaxonna de nouveau, puis il entendit crier :

— Charles!

Il tourna la tête et aperçut la fourgonnette grise familiale qui roulait lentement à côté de lui. La vitre du côté passager était baissée et sa mère tendait le cou pour lui parler.

— Maman! s'écria-t-il, tout heureux de la voir.

Il freina, puis descendit de sa bicyclette.

Mme Fortin arrêta la fourgonnette et sortit.

— Oh! Mon chéri! dit-elle. Tu es trempé. Viens! On va mettre ta bicyclette à l'arrière. J'allais chercher Rosalie chez tante Amanda et je me suis rendu compte que tu devais être en train de rentrer sous la pluie.

Souvent, après l'école, Rosalie allait aider tante

Amanda à sa garderie pour chiens appelée « Les Amis de Bouly ». Parfois, elle était vraiment débordée. Des gens qui travaillaient à temps plein et qui ne voulaient pas laisser leurs chiens seuls à la maison les lui amenaient et, par moments, il pouvait y en avoir jusqu'à trente chiens en même temps. C'était comme une maternelle pour chiens, avec l'heure de la sieste, celle du dîner et beaucoup de temps pour jouer. Charles savait que, à cause de la pluie, les chiens seraient obligés de jouer à l'intérieur, dans la grande salle de jeu bien éclairée, pleine de balles et d'autres jouets.

Après avoir mis la bicyclette à l'arrière de la fourgonnette, Mme Fortin aida Charles à retirer son tee-shirt mouillé et à enfiler le chandail en coton ouaté qu'elle lui avait apporté. Il retira ses espadrilles et mit ses pieds sous la vieille couverture de voyage toute trouée de Biscuit. L'odeur de chien qu'elle dégageait le réconforta instantanément. Mme Fortin augmenta un peu le chauffage, puis démarra pour aller chercher Rosalie à l'école.

— Tu es en retard, dit Rosalie en grimpant dans l'auto.

Puis elle aperçut Charles et s'écria :

— Oh là là! Tu as l'air d'un rat mouillé!

Rosalie avait attendu sa mère à l'intérieur de l'école, à l'abri de la pluie.

— Je te signale qu'il pleut, au cas où tu ne l'aurais pas remarqué, répliqua Charles.

On entendit un roulement de tonnerre.

— Et en plus, il y a de l'orage, ajouta-t-il.

— J'espère que Biscuit n'a pas peur, tout seul à la maison, dit Rosalie.

— Il n'est pas seul, dit Mme Fortin. Papa et le Haricot sont avec lui. Mais nous avons de la chance, car Biscuit ne semble pas avoir peur du tonnerre.

Elle gara la fourgonnette devant la maison de tante Amanda et dit à Rosalie :

— Je viendrai te chercher un peu plus tôt que d'habitude, à 17 h 30. Rappelle-toi, tu dois préparer tes bagages ce soir.

Charles et Rosalie allaient avoir une fin de semaine de quatre jours. Charles n'avait pas de projets particuliers. Mais Rosalie partait visiter Québec avec sa classe de 4ᵉ année. Elle en parlait depuis des semaines.

Rosalie descendit de voiture, courut vers la porte d'entrée de la garderie et l'ouvrit. Au même moment, un gros coup de tonnerre retentit.

Un éclair gris la frôla et fonça vers l'aire de stationnement.

— Eh! cria Charles. Est-ce que j'ai vu passer un chien?

CHAPITRE DEUX

Charles ouvrit la portière de la fourgonnette et descendit. Il avait oublié la pluie, le tonnerre et ses pieds nus.

— Holà! dit-il en se jetant sur le chien fugitif pour le plaquer au sol. Tu restes là, maintenant que je t'ai attrapé.

En le serrant dans ses bras, il s'aperçut que le chien tremblait et frissonnait de peur.

— Ça va aller, mon grand, murmura-t-il dans une de ses oreilles tombantes.

Ce chien était vraiment très grand. Il devait même être plus lourd que Charles. Pour l'immobiliser, ce dernier devait se servir de tout son poids. Il y eut un autre gros roulement de tonnerre, et le chien tenta de bondir.

Hé! Je veux m'en aller!

Le chien se tortillait désespérément dans les bras de Charles. Il était très fort aussi. Mais Charles le tenait fermement, et il ne put se dégager.

— Titan! cria tante Amanda qui était sur le seuil de la garderie, le visage blanc comme un linge. Oh! Titan, tu m'as fait une de ces peurs!

Elle se précipita dehors, vers la grosse masse formée par Charles et le chien.

— Mon pauvre Titan, dit-elle en l'attrapant par le collier.

Pauvre Titan? se dit Charles, en regardant ses jeans mouillés, maintenant troués aux deux genoux. Il frotta ses coudes endoloris. *Et moi, alors?*

— Bravo, Charles! lui dit tante Amanda par-dessus son épaule, tout en tirant Titan qui avait la queue entre les deux jambes. Je n'ose même pas penser à ce qui aurait pu arriver s'il s'était rendu jusqu'au chemin!

Charles et sa mère entrèrent à la suite de tante Amanda.

— Pauvre chien! dit Mme Fortin. Est-ce le tonnerre qui lui a fait si peur?

Tante Amanda se mit à genoux et épongea Titan avec une serviette de bain. Elle hocha la tête.

— C'est le chiot le plus « poule mouillée » que j'aie vu de toute ma vie, dit-elle.

— Un chiot? s'étonna Charles.

Il n'avait jamais vu un chiot aussi grand. Sa grosse tête carrée et ses pattes énormes lui faisaient penser à Scooby-Doo.

— Il n'a pas encore un an, dit tante Amanda. Et il va devenir plus costaud en grandissant.

Elle relâcha le chiot qui en profita pour s'ébrouer en se tortillant de la tête jusqu'à la queue.

Charles s'approcha pour le flatter. Il voulait l'aider à se remettre de sa grosse frayeur. Titan commença par reculer. Mais Charles s'avança doucement et lui gratta les oreilles jusqu'à ce qu'il se détende et se frotte contre lui. C'était un chien magnifique. Son poil court gris argent était parsemé de taches noires. Il avait des marques blanches sur le poitrail. Le bout de deux de ses grosses pattes et de sa queue toute mince était blanc aussi. Il était si haut que sa tête arrivait à la même hauteur que celle de Charles. Ses grands yeux bruns plongeaient tout droit dans ceux de Charles qui devait pratiquement lever les bras pour lui gratter les oreilles. Rien à voir avec Biscuit, qui arrivait à peine aux genoux de Charles!

— Tu n'es pas une poule mouillée, lui dit Charles. Tu es juste un chien mouillé et peureux.

Rosalie et Mme Fortin éclatèrent de rire, mais tante Amanda avait l'air soucieux.

— Il n'y a pas vraiment de quoi rire, dit-elle. Je me fais beaucoup de souci pour lui. Il a peur des orages, des boîtes aux lettres, des jeunes enfants et du papier d'emballage. Oh! J'allais oublier : il y a aussi l'aspirateur, le robot culinaire et tout ce qui bouge trop vite ou trop soudainement. Titan est un chiot terrorisé. Il a même peur de son ombre!

— Les danois sont-ils tous comme ça? demanda Rosalie.

Charles n'était pas surpris que sa sœur ait reconnu la race du chiot. Elle savait tout sur les chiens et, tous les soirs, elle étudiait son affiche des « Races de chiens dans le monde », qui était épinglée au mur de sa chambre.

Tante Amanda secoua la tête.

— À ma connaissance, non. Ce n'est pas un problème de comportement caractéristique de cette race. C'est peut-être dû au fait que Titan est resté attaché derrière la maison de je ne sais qui pendant les six premiers mois de sa vie. Il n'a connu rien d'autre que le mur d'un garage, alors tout est nouveau et stressant pour lui. J'ai vraiment de la peine à l'idée d'avertir les Boisvert, ajouta-t-elle en soupirant.

— Les Boisvert? dit Mme Fortin d'un ton interrogateur.

— Ses maîtres, dit tante Amanda. Alain, Karine et leur petite fille, Caroline. Quand les anciens maîtres de Titan ont décidé qu'ils ne voulaient plus de chien, les Boisvert l'ont adopté. Ils l'adorent; c'est un bon foyer. Mais Titan a peur de tout, et ils ne savent plus quoi faire. Ils ne peuvent l'emmener nulle part, mais ils ne veulent pas le laisser tout seul à la maison non plus. Titan n'aime pas aller au parc canin parce qu'il a peur des autres chiens, surtout des plus petits. Et il perd la tête chaque fois qu'on l'emmène chez le vétérinaire. C'est difficile de garder la maîtrise d'un si grand chien quand il est mort de peur.

— Peut-être que ça lui passera en grandissant, dit Rosalie.

Elle s'approcha pour flatter le chiot. Titan rabattit

ses oreilles vers l'arrière et se réfugia tout contre Charles.

— C'est ce que les Boisvert espéraient, dit tante Amanda. Mais jusqu'à maintenant, son problème n'a fait qu'empirer. Alors ils ont décidé de me l'amener. Ils pensent qu'en venant ici, il s'habituera aux autres chiens et ils espèrent que je pourrai lui apprendre à surmonter ses frayeurs.

— Comment s'y prend-on? demanda Charles.

Il savait comment apprendre à un chien à s'asseoir ou à donner la patte. Mais il n'avait aucune idée de la façon de s'y prendre pour montrer à un chien à ne plus avoir peur de tout.

— Il y a quelques trucs, mais ce n'est jamais facile, dit tante Amanda. Et ce peut être très long avant d'obtenir des résultats. Je crains que les Boisvert ne soient à bout de patience avec Titan et son problème.

Tante Amanda ne s'était pas trompée. Plus tard, après le souper, elle se rendit chez les Fortin.

— Le Haricot est-il au lit? demanda-t-elle à Charles qui était venu lui ouvrir.

Charles fit oui d'un signe de tête.

— Bien! dit-elle. Je crois que tu devrais aller mettre Biscuit dans ta chambre pendant un petit moment.

Charles aperçut alors Titan qui tentait de se cacher derrière tante Amanda. Il avait la tête basse, les oreilles tirées vers l'arrière et la queue entre ses jambes tremblotantes.

CHAPITRE TROIS

Ils s'installèrent au salon et tante Amanda leur expliqua la situation.

— Les Boisvert étaient vraiment découragés quand ils ont appris qu'il avait tenté de s'enfuir, aujourd'hui. Ils ont dit que c'était la goutte d'eau qui faisait déborder le vase. Ils m'ont demandé de lui trouver une autre famille.

— Alors nous allons l'héberger en attendant? dit Rosalie avec empressement.

Elle avait toujours rêvé d'héberger un danois. Elle adorait les grands chiens.

Charles s'assit par terre, et Titan se coucha à côté de lui. Le grand chiot posa sa tête sur les genoux de Charles. Elle était vraiment très lourde. Charles avait déjà les pieds engourdis. Il flatta les oreilles de Titan, puis il lui gratta la tête, car il savait que les chiens aiment ça.

— Comment allons-nous faire? demanda-t-il. S'il a peur des jeunes enfants, il va être terrifié par le Haricot.

— Tu as raison, dit tante Amanda. Mais vous n'aurez pas à l'héberger. J'ai convaincu les Boisvert de me donner une dernière chance pour tenter de le dresser. Le week-end prochain, je compte aller au chalet de Bouly avec d'autres chiens, et les Boisvert ont accepté que j'emmène aussi Titan. Si je peux trouver une façon de l'aider à surmonter ses frayeurs, ils sont prêts à le garder.

Le chalet de Bouly était la maison de campagne de tante Amanda et d'oncle François. Ils s'y rendaient souvent avec leurs propres chiens et, parfois, ils emmenaient ceux de leurs clients aussi. Charles en avait beaucoup entendu parler. C'était une jolie petite maison rustique avec une véranda grillagée où les chiens pouvaient faire la sieste. Ils pouvaient aussi s'ébattre dans le ruisseau tout proche. Tante Amanda préparait elle-même de délicieuses gâteries pour les chiens. Rosalie y était déjà allée deux fois, mais Charles jamais.

— Je vais avoir besoin d'aide, dit tante Amanda. C'est la raison de ma visite. Comme j'ai d'autres chiens à surveiller, je crois que Titan a besoin d'un compagnon pour tout le week-end, quelqu'un qui resterait constamment avec lui.

— J'adorerais venir, dit Rosalie, comme si l'invitation s'adressait à elle.

— Rosalie, dit Mme Fortin en levant la main. Et ton voyage à Québec?

— Oh! fit Rosalie, la mine déconfite. Peut-être que je pourrais...

— En fait, je comptais inviter Charles cette fois-ci, dit tante Amanda en lui adressant un sourire. On dirait que Titan et toi êtes déjà devenus amis. Je crois qu'il a confiance en toi, Charles.

Charles se sentit rougir jusqu'aux oreilles. Il était très flatté qu'un chien peureux comme Titan se sente en sécurité avec lui. Et c'était encore plus flatteur que tante Amanda souhaite l'inviter, lui tout seul, pour ce week-end très spécial.

— Ouais! s'exclama-t-il. Je peux y aller, maman? Dis oui!

Mme Fortin regarda son mari. Il hocha la tête et ils échangèrent un sourire.

— Bien sûr! dit-elle, en se tournant vers Charles. Je crois que Titan a besoin de toi. Finalement, Rosalie et toi, vous avez *tous les deux* des bagages à préparer ce soir.

— Pourquoi un chien se met-il à avoir peur de tout? demanda M. Fortin à sa sœur.

— C'est difficile à dire, répondit-elle. Certains chiots ont eu une mauvaise expérience et restent marqués pour toujours. Par exemple, une chienne que je connaissais avait reçu un coup de pied d'un homme grand et fort quand elle était petite et, par la suite, elle a toujours eu peur des hommes grands et forts. D'autres chiens sont peureux tout simplement parce qu'ils n'ont pas bien développé leurs relations sociales. Ce pourrait être le cas de Titan. Après l'avoir adopté, les Boisvert ont passé beaucoup de temps à leur maison de campagne, et il n'y rencontrait pratiquement pas de chiens ni d'humains. Finalement, ils l'ont emmené suivre des cours d'obéissance, et ça lui a fait le plus grand bien. Mais comme il n'a pas eu d'expériences variées quand il était tout petit, tout lui fait peur maintenant.

— Alors, comment peut-on lui apprendre à ne plus avoir peur? demanda Rosalie.

— Les entraîneurs de chiens utilisent différentes méthodes, dit tante Amanda. Selon moi, la meilleure est celle de la « désensibilisation ».

— La quoi? demanda Charles, très intéressé.

— Je sais, c'est un bien grand mot, dit tante Amanda. Il s'agit simplement d'aider le chien à se maîtriser quand des choses lui font peur; dans ce cas, on les lui présente petit à petit et en douceur.

— Comment, par exemple? demanda Charles.

— Bon, dit tante Amanda. Supposons que Titan ait peur de...

Elle s'interrompit, parcourut des yeux la pièce et aperçut M. Canard, le jouet préféré de Biscuit.

— ... des jouets qui couinent, reprit-elle. S'il en a peur, c'est sans doute parce qu'ils font un bruit qui le prend par surprise.

Elle ramassa M. Canard et poursuivit ses explications.

— D'autres entraîneurs utilisent plutôt la méthode de « l'immersion ». Ils croient qu'il faut mettre le chien en contact avec ce qui lui fait peur autant de fois qu'il le faudra pour qu'il ne réagisse plus. Par exemple, ils mettraient M. Canard sous le nez de Titan et le feraient couiner à répétition.

— Ce n'est pas gentil! s'indigna Charles en enlaçant Titan.

Titan soupira et se pressa contre Charles de tout son énorme poids.

— Je ne ferais jamais ça à un chien! ajouta Charles.

— Moi non plus, dit tante Amanda. Je commencerais donc par habituer Titan à la présence de M. Canard. Je laisserais traîner le jouet pour qu'il le voie. Et s'il se décidait à aller voir M. Canard de près, je le féliciterais et je lui donnerais une gâterie afin de l'encourager à être curieux et à ne pas avoir peur.

— Et ensuite? demanda Rosalie. Et le couinement?

— Certains bruits peuvent faire vraiment très peur aux chiens, dit tante Amanda. N'oubliez pas que leur ouïe est bien plus fine que la nôtre. Donc un son faible peut leur sembler très fort. Je prendrais donc M. Canard et je me placerais assez loin de Titan. Puis je le ferais couiner.

M. Canard à la main, tante Amanda se plaça devant la cheminée et fit couiner le jouet pas trop fort. Titan dressa les oreilles, mais ne se leva pas pour prendre la fuite.

— Bon chien! dit Charles en flattant sa grande joue.

Il avait l'impression de flatter la joue d'un cheval!

— C'est exactement ce qu'il faut faire, Charles, précisa tante Amanda. Tu dois le récompenser de ne pas avoir eu peur. Ensuite, je m'approcherais lentement de Titan, avec M. Canard à la main, en le faisant couiner. Si Titan ne prenait pas la fuite, je le caresserais et je lui donnerais des gâteries. J'essaierais aussi de détourner son attention en l'occupant à quelque chose, comme répondre aux ordres habituels : Assis! Couché! Au pied! À la fin, du moins je l'espère, il supporterait sans problème que M. Canard couine tout près de lui.

— Oh là là! s'exclama Rosalie. Quel travail!

— En effet! dit tante Amanda. Et ça prend beaucoup de temps. Mais si nous pouvions le mettre sur la bonne voie, je crois que les Boisvert seraient heureux de prendre la relève. Ils ont apprécié les cours d'obéissance et ils aiment vraiment beaucoup Titan.

— Qui pourrait ne pas t'aimer, espèce de grand escogriffe? dit Charles en embrassant le museau de Titan.

Titan rendit le bisou en léchant la joue de Charles de sa grande langue baveuse.

Tu es mon copain, hein?

— Bien! dit tante Amanda. Il est temps de rentrer. Charles, peux-tu être prêt tôt demain matin? Je veux prendre la route de bonne heure.

— Pas de problème! dit Charles.

Il avait tellement hâte d'aller au chalet de Bouly avec Titan!

CHAPITRE QUATRE

Les bagages pour le week-end étaient faciles à faire. Se lever très tôt? Facile aussi. Le séjour de Charles au chalet de Bouly comportait un seul petit problème : dire au revoir à Biscuit. Assis sur la banquette arrière de la fourgonnette de tante Amanda, il repensait à l'air plein d'espoir du chiot, quand il avait déposé son sac de voyage devant la porte.

— Désolé Biscuit! avait-il dit en s'asseyant sur une marche pour lui faire un gros câlin. Tu ne peux pas venir avec moi, aujourd'hui. J'aurais bien aimé, mais je crois que tu ferais peur à Titan. Tu restes à la maison, avec maman, papa et le Haricot, d'accord?

Charles ne savait pas si Biscuit avait compris. Alors, en attendant tante Amanda, il lui avait fait plein de bisous et de caresses.

On aurait dit que tante Amanda avait lu dans les pensées de Charles.

— Biscuit va s'ennuyer de toi et de Rosalie ce week-end, dit-elle en regardant Charles dans son rétroviseur. Tes parents aussi. La maison va être terriblement vide, sans vous deux.

Charles hocha la tête. Il avait la gorge serrée, ce qui l'empêchait de parler. Il espérait ne pas trop s'ennuyer de sa famille, là-bas, au chalet de Bouly. Il regarda Titan qui somnolait dans une énorme cage sur la banquette arrière à côté de lui. Les autres chiens étaient dans d'autres cages à l'arrière. Tout ce beau monde s'en allait à la campagne pour un week-end de plaisir. Tante Amanda avait amené son chien Bouly, le golden retriever qui avait donné son nom à la garderie, mais elle avait laissé ses trois carlins avec oncle

François, afin que les trois petits chiens ne fassent pas peur à Titan.

— Nous allons bien nous amuser, tu vas voir, Titan, murmura Charles. Je parie que tu vas adorer le chalet de Bouly.

Titan ouvrit les yeux et regarda Charles. Son front, strié de rides, montrait qu'il était inquiet.

Tu crois? Tu en es sûr? Moi, j'ai plutôt l'impression que je vais avoir peur.

Charles glissa son doigt entre deux barreaux de la cage et gratta l'oreille de Titan.

— Tout va bien se passer, dit-il. Ne t'inquiète pas.

Titan soupira et se rendormit, la tête posée sur ses deux pattes croisées devant lui.

— Je compte sur toi pour le surveiller de près pendant tout le week-end et aussi pour jouer avec lui, souligna tante Amanda. S'il y a encore un orage ou autre chose qui lui fait peur, le mieux à faire est de détourner son attention afin qu'il n'y pense pas trop. Tu dois lui parler gentiment, mais pas comme à un bébé. Donne-lui des gâteries pour qu'il associe l'expérience à quelque chose d'agréable. Tu y arriveras?

— Pas de problème, dit Charles.

Il tapota sa poche où il avait glissé quatre ou cinq petits biscuits pour chiens. Il en avait toujours sur lui, au cas où il rencontrerait un nouveau chien dont il voudrait se faire un ami.

Charles plongea la main dans son sac à dos et en ressortit le paquet de cartes à jouer qu'il avait emporté. Il avait aussi pris son livre de magie, pour apprendre quelques tours. Il voulait commencer par des tours avec des cartes, car c'étaient les plus faciles. Mais il y avait un problème. Le livre était pour les débutants. Pourtant, la première instruction de chacun des tours était : « Brasser les cartes. »

Charles ne savait pas brasser les cartes. Quand Sammy et lui jouaient à la bataille, parfois pendant des heures et des heures, les jours de pluie, c'était toujours Sammy qui brassait. Charles soupçonnait Sammy de s'arranger quelques fois pour que les meilleures cartes soient dans sa moitié de paquet. *Je ferais peut-être mieux d'apprendre à brasser*, se dit-il.

Il ouvrit la petite boîte et en retira les cartes.

— Oups!

Les cartes avaient glissé de ses mains et s'étaient éparpillées par terre.

— Qu'est-ce que tu as là, Charles? demanda tante Amanda en le regardant de nouveau dans le rétroviseur.

— Juste des cartes à jouer, dit-il en essayant de les ramasser.

Il n'était pas prêt à dire qu'il apprenait à faire de la magie. Il voulait surprendre tout le monde, quand il aurait mis au point quelques tours. Il coupa les cartes, garda une moitié du paquet dans chaque main et tenta de les battre. Mais elles retombèrent presque toutes sur ses genoux. Il les ramassa de nouveau et essaya de les brasser comme faisait Sammy, en retroussant avec ses pouces un coin de chaque demi-paquet. C'était encore pire. L'as de pique, la dame de cœur et le quatre de carreau atterrirent dans la cage de Titan. Le chiot dormait si profondément qu'il ne broncha pas.

Il ramassa encore les cartes et continua de s'entraîner à les brasser. Quand tante Amanda quitta la grand-route et s'engagea dans un long chemin de terre cahoteux, il n'avait toujours pas appris à les brasser correctement. Puis la fourgonnette s'arrêta. Il rangea les cartes dans son sac à dos et referma la fermeture éclair.

— Ça y est? demanda-t-il. On est arrivé au chalet de Bouly?

— Exactement! dit tante Amanda. Sois le bienvenu, mon grand!

Au milieu d'une clairière se dressaient deux grands pins cachant un petit chalet. La scène rappela à Charles celle qu'il avait vue la veille :

Titan sur le perron, à moitié caché derrière les jambes de tante Amanda.

On entendait des chants d'oiseaux venant de la forêt, et une agréable odeur de résine de pin flottait dans l'air. Il respira très profondément, puis il sourit. Le chalet de Bouly était super!

— En arrivant ici, j'aime bien emmener les chiens jouer dans le ruisseau pour se dégourdir les pattes, dit tante Amanda en ouvrant le hayon de la fourgonnette.

Elle ouvrit la porte de la cage de Titan et le laissa sortir en laisse. Charles déboucla sa ceinture de sécurité et descendit aussi.

Titan bâilla et se secoua en faisant claquer ses grandes oreilles contre sa tête. Puis il se coucha et se roula dans l'herbe, heureux de s'étirer les pattes dans tous les sens et de se tortiller par terre pour se gratter le dos.

Ça fait du bien! J'ai presque oublié d'avoir peur!

Puis il se remit sur ses pattes, faisant sonner les médailles qui pendaient à son cou, et se mit à renifler l'air dans toutes les directions.

Je sens d'autres chiens. J'espère que ce ne sont pas les petits qui aiment tant me mordiller les pattes.

Tante Amanda se tenait devant Titan, la laisse en main. Elle sourit.

— C'est sa manière à lui de se familiariser avec un endroit nouveau, expliqua-t-elle à Charles. On doit lui laisser le temps de renifler un peu.

Et Titan continua de se rouler par terre et de renifler.

— Titan, viens! dit tante Amanda après un moment.

Au bout de sa laisse, Titan se retourna et revint s'asseoir devant elle, immobile comme une statue. Il la regardait dans les yeux, les oreilles dressées.

— Bon chien! dit tante Amanda.

— Oh là là! dit Charles. Il t'écoute vraiment très bien!

— Ça a pris au moins trois ans à Bouly pour obéir aussi bien, fit-elle remarquer. Les cours d'obéissance que les Boisvert ont fait suivre à Titan ont été vraiment efficaces.

Elle regarda Titan et lui donna un signal en tapant sur sa cuisse gauche.

— Au pied, Titan! dit-elle.

Titan bondit avec enthousiasme et vint se rasseoir à côté de tante Amanda. Il voulait vraiment montrer qu'il savait obéir!

— Marche! dit-elle à Titan en faisant un pas en avant.

Titan resta collé aux pieds de tante Amanda. Il la regardait, curieux de savoir où ils s'en allaient.

Charles était très impressionné. Biscuit était un bon chien. Il pouvait s'asseoir, donner la patte et faire plein de choses du genre. Mais Titan était étonnant. Tante Amanda tendit la laisse à

Charles et alla faire sortir les autres chiens de la fourgonnette.

Au début, Charles était un peu tendu. Titan était presque plus grand que lui et semblait capable de le jeter par terre sans difficulté. Il s'éclaircit la voix.

— Heu... au pied, Titan! ordonna-t-il.

Et Titan se plaça à côté de lui! Charles décida de l'entraîner à marcher de long en large avec lui. Il n'avait même pas besoin de lui donner des ordres. Titan marchait calmement à son côté, sans tirer ni sauter ni traîner derrière. Tout comme Biscuit quand il était en laisse!

Ils descendirent tous ensemble au ruisseau. Bouly ouvrait la marche, dans les hautes herbes. Il agitait fièrement sa queue en panache. Il indiquait ainsi aux autres chiens sa place dans la meute. Il n'avait pas besoin d'être en laisse, contrairement aux autres chiens. Tante Amanda avait mis des laisses à ses invités : Tobi, un jeune labrador chocolat, et Sophie, une chienne genre basset. Ils gambadaient derrière Bouly et reniflaient dans tous les sens. Au bout du pré, le sentier continuait dans un bois. Il était plein de racines et de rochers, avec des fougères et de la mousse de chaque côté. Pendant tout le trajet, Titan marcha gentiment à côté de Charles, sans tirer.

Puis ils arrivèrent devant un petit étang, près d'une cascade. Les chiens batifolèrent dans l'eau fraîche. Ils chassaient les grenouilles, se mouillant jusqu'au ventre, et plongeaient leur museau pour boire à grandes lampées. Même Titan entra dans l'eau. Mais un têtard vint lui chatouiller le nez et il bondit sur la rive. Puis tante Amanda dit qu'il était temps de retourner à la maison et de finir de rentrer les bagages.

Sur le chemin du retour, Charles ouvrit la marche. Titan marchait encore à ses côtés, comme un vrai gentleman. Soudain, quelque chose traversa le sentier rocailleux. Une petite couleuvre! Charles savait qu'elle n'était pas dangereuse. Il l'aperçut en premier et resserra aussitôt son emprise sur la laisse de Titan. Dès que Titan vit la couleuvre, il s'arrêta net.

Beurk!

Le grand chien bondit dans les airs et s'enfuit au grand galop en traînant Charles derrière lui, agrippé à la laisse.

CHAPITRE CINQ

— Arrête! cria Charles, toujours agrippé à la laisse de Titan qui courait à toute allure dans le sentier. Aïe! Ouille! Oille!

Il ne lâcha pas la laisse, malgré les pierres qui lui égratignaient le ventre et les racines qui lui blessaient les coudes.

— Titan! cria tante Amanda. Couché!

Titan s'arrêta instantanément et se coucha.

— Dis donc! s'exclama Charles, étendu par terre au bout de la laisse de Titan. Il est vraiment très obéissant!

— Reste! dit tante Amanda à Titan. Ne bouge pas de là!

Titan la regarda et ne bougea pas d'un poil. Tante Amanda courut aider Charles.

— Ça va? lui demanda-t-elle. Désolée, mon grand! Nous ne devrons jamais oublier que Titan a peur de tout ce qui est nouveau pour lui.

— Oui, ça va, dit-il en nettoyant ses genoux et en frottant ses coudes endoloris. C'était super de le voir se coucher dès que tu le lui as ordonné.

— Oui, c'était fantastique, dit tante Amanda. Je n'étais pas certaine qu'il obéirait. Mais je me suis dit que je ne perdrais rien à essayer. C'est formidable, un chien qui répond si bien. C'est ce que j'appelle un ordre d'urgence, c'est-à-dire un ordre qui pourrait lui sauver la vie, un de ces jours où il déciderait de s'enfuir dans une rue très passante.

Pendant tout le reste de la journée, Charles ne lâcha pas Titan d'une semelle. Il fit de son mieux pour que rien n'effraie le gigantesque chiot. Mais ce ne fut pas facile. Titan paniqua quand tante Amanda apporta le disque volant pour jouer avec les autres chiens. Il fit un grand bond dans les airs quand un grillon sauta d'un brin d'herbe à un autre, juste sous son nez. À l'heure de la sieste, il tourna longtemps en rond dans la véranda avant de trouver un petit coin qui lui convienne pour dormir. Et quand Tobi se mit à mâchouiller un jouet qui couine, Titan sauta presque jusqu'au plafond.

À la fin de l'après-midi, Charles était fatigué et mécontent. Titan était un chien formidable, mais qui donc pourrait avoir la patience de l'endurer s'il n'arrêtait pas d'avoir peur de tout? Lui trouver un foyer permanent n'allait pas être facile.

Pour le souper, tante Amanda avait fait du macaroni au fromage du commerce.

— Désolée, dit-elle en s'asseyant à la table de la cuisine avec Charles. Le premier soir au chalet, nous mangeons toujours un truc tout prêt. Demain, je te ferai autre chose de meilleur.

— Tu veux rire? fit-il en prenant une grosse bouchée. J'adore ce macaroni!

— C'est vrai, dit-elle en prenant à son tour une bouchée. Il y a eu un temps, quand tu avais à peu près l'âge du Haricot, où tu ne voulais rien manger d'autre.

Charles ne s'en souvenait pas. Mais sa mère le disait tout le temps, alors ce devait être vrai. Il regarda Titan qui dormait à ses pieds.

— Le chalet de Bouly est encore plus formidable que je ne pensais, déclara-t-il. Et je crois que Titan s'amuse vraiment bien sauf, évidemment, quand il est mort de peur.

— Je suis d'accord avec toi, dit tante Amanda. Mais il faut qu'il apprenne quelque chose. Je ne l'ai pas emmené ici pour rien. Je cherche encore la meilleure façon de l'aider.

Si elle ne le savait pas, qui d'autre pouvait le savoir? Au centre de la table, il y avait un truc en bois avec des petits disques bleus, blancs et rouges.

— Qu'est-ce que c'est? demanda-t-il en les montrant avec sa fourchette.

— Des jetons de poker, répondit-elle. Ton oncle et moi avons des amis qui viennent jouer avec nous de temps en temps.

— Vous jouez au poker? reprit-il.

Il était plutôt étonné. Il n'imaginait pas sa tante jouant au poker. *Mais... Et si elle pouvait m'aider?* se dit-il.

— Alors, tu dois savoir brasser les cartes, ajouta-t-il.

— Bien sûr! dit-elle en hochant la tête. Et je t'apprendrai avec plaisir. En veux-tu encore?

Elle repoussa sa chaise pour se rendre à la cuisinière. Le bruit réveilla Titan. Il bondit et se mit à marcher de long en large, en gémissant et en haletant.

Qu'est-ce que c'est? Quel était ce bruit?

— Ho! Titan! dit tante Amanda. Tout va bien. Du calme, mon grand.

Charles tapota le plancher, à côté de sa chaise.

— Couché, Titan! dit-il.

Titan s'approcha et se coucha.

— Pourquoi halète-t-il ainsi? demanda Charles. Il ne fait pas chaud, pourtant.

— Certains chiens halètent quand ils sont stressés, expliqua tante Amanda. Il va bientôt se calmer. Je ne sais toujours pas comment nous allons nous y prendre pour aider Titan. Mais je suis convaincue que j'ai bien fait de t'emmener. Manifestement, il se sent rassuré parce que tu es tout le temps avec lui.

Charles rougit et détourna la tête. Il caressa Titan. De la part de tante Amanda, c'était tout un compliment! Peut-être qu'il arriverait vraiment à rassurer Titan.

Après le souper, il aida à ranger la cuisine. Puis ils allèrent tous les deux dans la salle de séjour et s'installèrent par terre, sur le vieux tapis de catalogne bleu, de chaque côté de la table à café. Les chiens les suivirent. Bouly prit la meilleure place sur le canapé, puis les autres s'installèrent à leur tour. Titan se roula en boule par terre et posa sa grosse tête sur les genoux de Charles. Peu après, tous les chiens se mirent à ronfler en chœur et tante Amanda montra à Charles comment brasser les cartes. Le petit chalet était vraiment très confortable.

Après la leçon, ils jouèrent à la bataille pendant un bon moment, entourés des chiens qui dormaient profondément. Charles battit les cartes chaque fois, histoire de pratiquer le plus possible.

Quand il alla se coucher avec Titan, il avait si sommeil que ses yeux se fermaient tout seuls. Mais après avoir enfilé son pyjama, il ouvrit son livre de magie et lut les directives pour le tour de cartes appelé « Les cartes comptées ». Maintenant qu'il savait brasser les cartes, le reste allait être très facile.

CHAPITRE SIX

— Tout va bien, Titan, dit Charles d'une voix endormie.

Il ouvrit un œil et vit qu'il faisait encore noir dans la chambre.

— Retourne te coucher, dit-il.

Il tendit la main pour flatter le grand chiot qui marchait de long en large à côté du lit, avec ses médailles qui tintaient à chaque pas.

— Mais qu'est-ce que tu as?

Titan gémit et lui lécha la main.

J'entends quelque chose. Quelque chose qui me fait peur.

Charles s'assit dans son lit et tapota le matelas,

en profitant de l'occasion pour essuyer sa main pleine de bave.

— Viens ici, à côté de moi, dit-il à Titan. Allez, mon chien. De quoi as-tu peur?

Titan bondit sur le lit et se coucha. Il prit presque toute la place, et Charles se retrouva coincé contre le mur. La chambre redevint silencieuse, et Charles put entendre ce qui dérangeait Titan. *Plic! Plac! Plic! Plac!* faisait la pluie sur la toiture.

— Ce n'est que la pluie, dit Charles à Titan. Ça ne veut pas dire pour autant qu'il y aura du tonnerre.

Il caressa la tête de Titan jusqu'à ce que le chiot soupire profondément et se rendorme.

— La nuit dernière, Titan a eu peur du bruit de la pluie sur la toiture, annonça Charles à sa tante quand il descendit pour le déjeuner le lendemain matin, Titan sur les talons.

Le ciel était maintenant dégagé, et le soleil entrait par les fenêtres tandis que tante Amanda faisait frire le bacon tout en remplissant les bols des chiens. Elle posa le bol de Titan bien en retrait afin qu'il ne soit pas dérangé par les autres chiens.

— Oh là là! s'exclama-t-elle en secouant la tête. À la météo, on annonce encore de la pluie et peut-être même un autre orage, plus tard dans la journée!

Elle posa devant Charles une grande assiette d'œufs brouillés avec du bacon.

— Voici ce que nous allons faire, dit-elle. Titan et toi, vous allez prendre l'air pendant qu'il fait encore beau. Puis vous passerez une petite journée bien tranquille, tous les deux ensemble et à l'écart des autres. Ainsi Titan ne sera pas stressé ni effrayé. Il est incapable d'apprendre quoi que ce soit quand il a peur.

— Ça marche pour moi, dit Charles, la bouche pleine. Qu'en dis-tu, Titan?

Titan s'approcha et lécha le visage de Charles.

Miam! J'adore les œufs au bacon.

— Pas besoin d'une serviette de table quand on a un danois sous la main! s'écria Charles en riant. Il commençait à s'habituer à la taille colossale de Titan.

Quand il eut fini son déjeuner, Charles appela Titan et lui mit sa laisse.

— Je ne pense pas qu'il va encore te tirer à sa remorque comme hier, dit tante Amanda. Mais, si jamais il recommence, rappelle-toi ceci : lâche la laisse et crie-lui « Couché! » Il devrait s'arrêter aussitôt et il ne te traînera pas derrière lui, dans le sentier.

Charles approuva de la tête. Il aurait aimé connaître ce truc la veille!

— Compris! lança-t-il. Tu es prêt, Titan? Allons au ruisseau.

L'énorme chiot marcha gentiment à côté de Charles, de son pas élégant. Les hautes herbes étaient encore mouillées à cause de la pluie tombée pendant la nuit et, dans les arbres, les gouttes d'eau sur les feuilles nouvelles brillaient comme des diamants. Il faisait un temps magnifique, ce matin-là, et l'air embaumait. Tout en marchant, Charles et Titan se délectaient des doux parfums du printemps.

Charles adorait regarder Titan marcher. Il était gracieux, comme un cheval pur sang qui, à chaque pas, lève ses sabots avec aisance. Il semblait un peu plus en confiance que la veille. Il marchait la tête haute et les oreilles dressées, et écoutait les chants d'oiseaux qui résonnaient de tous les côtés tandis qu'ils traversaient le pré.

Mais quand ils pénétrèrent dans le bois et que le sentier devint rocailleux, Charles remarqua que Titan marchait avec précaution. À chaque pas, il regardait autour de lui. Il restait bien collé à côté de Charles. Soudain, il s'arrêta net.

Ici! C'est ici! Le machin qui glissait par terre en se tortillant était juste là!

— Allez, Titan! dit Charles en tirant sur la laisse.

Mais Titan ne voulait pas avancer et Charles n'était pas assez fort pour l'y obliger. Titan rabattit ses oreilles vers l'arrière et, les yeux tout écarquillés, il regarda par terre, tout autour de lui.

— Oh! Je comprends! s'exclama Charles. C'est ici que tu as vu la couleuvre.

Il ne savait pas quoi faire exactement. Mais il ne voulait pas forcer Titan à faire une chose qui l'effrayait.

— D'accord, dit-il en soupirant. Tant pis pour le ruisseau. On retourne au chalet.

Titan semblait trouver que c'était une bonne idée. Mais au beau milieu du pré, il bondit soudainement. Les yeux lui sortaient de la tête et il haletait.

— Ça va, mon grand, dit Charles en s'arrêtant et en soupirant. Ce n'est qu'un autre grillon.

Il fit prendre un autre sentier à Titan, en espérant qu'ils ne tomberaient pas sur une autre chose effrayante. Mais Titan avait peur de tout : d'un oiseau qui passa trop près de lui, du disque volant vert fluo laissé sur la pelouse et du suisse qui se jucha sur un muret de pierres moussues et se mit à le houspiller.

Charles fit prendre à Titan un sentier, puis un autre et un autre encore, en se disant que, au moins, il finirait par être fatigué. Ils s'étaient éloignés du chalet beaucoup plus que Charles ne le pensait. Mais il était sûr de pouvoir revenir sur ses pas. Le soleil tapait fort, au milieu du pré. Charles s'enfonça donc dans une pinède, en quête d'un peu d'ombre. Mais quand il ressortit du bois avec Titan, le soleil était parti et le ciel s'était couvert. Charles frissonna. Il ne faisait plus très chaud, maintenant que le soleil avait disparu. Il tira sur la laisse de Titan.

— Viens, mon chien, dit-il. C'est l'heure de rentrer.

Ils avaient à peine fait quelques pas que le vent se leva.

D'énormes nuages noirs s'amoncelaient dans le ciel.

Et une grosse goutte de pluie s'écrasa sur la joue de Charles.

CHAPITRE SEPT

— Oh-oh! se dit Charles.

Il regarda le ciel et s'aperçut que les nuages étaient aussi gros et aussi noirs que le jour où il avait fait la connaissance de Titan. Il savait ce que cela annonçait : un orage! Qu'allait-il arriver si Titan paniquait, là, loin du chalet?

— D'accord, Titan, dit Charles en tirant sur la laisse et en se remettant à marcher. Il faut y aller. Il faut retourner au chalet.

Mais Titan avait déjà compris qu'il se passait quelque chose. Il rabattit ses oreilles. Charles pouvait voir le blanc de ses grands yeux au regard fixe. Titan s'assit, planta ses pattes avant bien solidement sur le sol et se mit à haleter.

Je ne bougerai pas d'ici. J'ai trop peur. Je reste ici!

Charles tira sur la laisse. Il tira encore, plus fort. Il se plia en deux et tira de toutes ses forces, en se servant de tout son poids, comme dans une partie de souque-à-la-corde. Mais Titan, le chiot géant, restait immobile comme une statue. Charles n'arrivait pas à le faire bouger d'un poil.

Une autre goutte de pluie atterrit sur sa tête, puis une autre et une autre encore. C'était affreux! Il fallait absolument qu'ils retournent au chalet avant que l'orage éclate. Charles réfléchit. Que ferait tante Amanda? Il la revoyait, la veille, quand elle avait fait sortir Titan de la fourgonnette. Après l'avoir laissé renifler un peu partout et se rouler dans l'herbe, elle lui avait donné quelques ordres. Titan avait aussitôt obéi.

Il avait aussi obéi à l'ordre de se coucher, quand il avait vu la couleuvre. Il obéissait instantanément, si on savait s'y prendre.

Soudain, Charles sut *exactement* ce qu'il fallait dire. Il se rappela les mots que tante Amanda avait utilisés pour donner des ordres à Titan. Est-ce que ça allait marcher? Ça valait la peine d'essayer. Il redressa le dos et prit sa plus grosse voix.

— Viens, Titan! dit-il.

Titan se leva, approcha de son pas élégant et se rassit comme un grand, en face de Charles.

— Bravo! Bon chien! dit Charles.

Il avait du mal à le croire. Pourtant, c'était bien vrai. Et ce n'était qu'un début! Il tapa sur sa cuisse gauche.

— Au pied, Titan! dit-il.

Titan se remit aussitôt debout, se retourna et se rassit comme un grand, à gauche de Charles. Il était étonnamment rapide et précis dans ses mouvements, pour un si grand chien.

— Bon chien, Titan! dit Charles en souriant. Marche!

Il fit un pas en avant, exactement comme le faisait tante Amanda, et Titan se mit aussitôt à marcher en restant toujours collé à la jambe gauche de Charles et en ne le quittant pas des yeux.

C'est bien ce que tu veux?

— Oh! Titan, tu es vraiment un bon chien, dit Charles.

Comme par magie, Titan oubliait toutes ses peurs s'il était occupé à une tâche précise. Charles put marcher rapidement avec lui, en rebroussant chemin par le sentier. Ils traversèrent la pinède et le pré, repassèrent devant le muret de pierres et arrivèrent devant le petit chalet douillet. La pluie tombait dru maintenant, et Charles était presque aussi trempé qu'il l'avait été deux jours plus tôt, quand il était à bicyclette. Titan ne semblait pas s'apercevoir qu'il pleuvait, car il était trop concentré sur les ordres de Charles.

Puis Charles entendit le tonnerre gronder. Le grondement était lointain. C'était juste un petit roulement annonçant l'arrivée de l'orage.

Pourtant, Titan l'avait entendu. Il regardait toujours Charles, mais maintenant ses oreilles étaient rabattues vers l'arrière et on voyait de nouveau le blanc de ses yeux.

C'était quoi, ça?

— Marche, Titan! dit-il d'un ton autoritaire, en tapant sur sa cuisse, encore une fois. Au pied!

Titan continua de marcher et Charles accéléra le pas. Mais il savait que Titan n'était plus aussi attentif. Le grand chien tournait la tête de tous côtés, comme s'il se sentait suivi.

La magie ne fonctionnait plus. Il fallait trouver un autre truc.

— Titan, Titan, Titan! dit Charles très fort, en espérant ainsi couvrir le bruit du prochain coup de tonnerre.

Puis il se rappela les chansonnettes que sa famille et lui aimaient chanter à Biscuit. Chacun avait la sienne. Pour Mme Fortin, c'était : *Biscuit,*

Biscuit, beau Biscuit. Biscuit, Triscuit, Dixcuit, Archicuit. Quand M. Fortin jouait à tirer sur son mouton en peluche, il lui chantait *La laine des moutons c'est nous qui la tondaine, La laine des moutons c'est nous qui la tondons.* Rosalie lui chantait des mièvreries commençant souvent par *Biscuit, mon beau chien d'amour.* Et le Haricot aimait lui chanter *Fais dodo, Biscuit mon p'tit frère, Fais dodo, t'auras du lolo.* Charles, pour sa part, inventait des paroles sur tous les airs qui lui passaient par la tête, disant généralement que Biscuit était gentil et intelligent.

— *Titan, Titan, gros bêta!* se mit-il à chanter à pleins poumons sur l'air de *Ah! Vous dirais-je maman* tout en continuant de marcher. (Et il tapa sur sa cuisse.) *Au pied! Viens mon grand tata!*

Et le miracle se produisit! Titan le regarda, un peu confus. Mais il reprit sa marche d'un bon pas, en restant bien collé à côté de Charles. Il ne ralentit même pas quand Charles, entendant un autre grondement de tonnerre, se remit à chanter et à courir en même temps!

— *Titan, Titan, dépêche-toi! Sinon tu te mouilleras!* claironna Charles.

Ils arrivèrent au chalet juste avant que l'orage éclate et qu'il se mette à pleuvoir à torrents. Un coup de tonnerre éclata au-dessus de leur tête au moment même où Charles claqua la porte à moustiquaire derrière eux. Et Titan, terrifié, essaya de sauter dans les bras de tante Amanda.

— Dieu merci, vous êtes de retour! s'écria-elle.

Elle caressa Titan et lui chuchota des mots doux à l'oreille jusqu'à ce qu'il se calme et se mette à marcher de long en large dans la cuisine, tout en haletant. Un autre coup de tonnerre fit vibrer les vitres. Titan se réfugia sous la table.

— Suis-moi, Charles! dit tante Amanda. Titan, viens!

Elle emmena Charles et Titan dans le couloir et, tout au fond, les fit entrer dans une petite pièce que Charles n'avait pas encore vue.

— Parfois, le matin, je fais du yoga ici, reprit-elle. Une fois la porte fermée, c'est la pièce la plus tranquille du chalet. En plus, elle n'a ni fenêtre ni porte donnant à l'extérieur. Titan ne pourra donc pas s'enfuir. Reste ici avec lui ; je vais t'apporter des vêtements secs.

— D'accord, dit-il, la voix rauque.

Il avait mal à la gorge, à force de chanter. Mais ce n'était pas grave. L'important, c'était Titan. Comment faire pour l'aider à rester calme pendant l'orage ?

CHAPITRE HUIT

Il n'y avait pas grand-chose dans la salle de yoga, seulement un futon, une carpette rouge épaisse et une table basse avec un lecteur de CD et une pile de disques compacts. Titan marchait de long en large, en haletant et en gémissant un peu. Malgré la porte fermée, on entendait le tonnerre gronder. Charles savait que Titan l'entendait aussi.

— Je te chanterais bien un petit air, dit-il, mais j'ai mal à la gorge.

Il fouilla dans la pile de disques et en trouva un des Beatles. L'instant d'après, une musique joyeuse et entraînante remplissait la pièce et couvrait les bruits venant de l'extérieur.

— C'est mieux comme ça, non? dit-il à Titan.

Ils s'assirent sur le futon, Charles avec les jambes croisées et Titan avec les pattes avant par terre et le derrière sur le futon. Charles devait s'étirer de tout son long pour lui gratter la tête.

Puis tante Amanda revint avec une serviette et des vêtements secs pour Charles. Titan faisait la sieste, malgré la musique à plein volume.

— Bon travail, dit-elle. Je suis bien contente de voir qu'il s'est un peu calmé. L'orage est presque fini. Dans quelques minutes, il sera loin.

— Je crois que nous allons rester ici encore un petit peu, dit Charles. Peux-tu m'apporter un jeu de cartes?

Autant s'exercer à brasser les cartes, tant qu'à rester assis avec Titan, à attendre que l'orage soit terminé, se dit Charles.

Il se changea. Il se sentait bien dans ses vêtements secs. Titan était déjà sec, car Charles l'avait épongé avec la serviette.

Tante Amanda revint avec les cartes. Charles les sortit de leur boîte et se mit à les brasser. Titan se réveilla et regarda les cartes, les yeux écarquillés.

— Oh! s'exclama Charles. Je t'ai fait peur? Regarde, ce sont juste des cartes!

Tout doucement, il approcha les cartes de Titan, pour qu'il puisse les sentir. Puis il releva un coin du paquet avec son pouce et fit claquer les cartes, mais pas trop fort. Ensuite, il les brassa en essayant d'y aller plus doucement que la première fois. Titan bondit dans les airs et se mit à marcher de long en large.

— Assis, Titan! dit Charles.

Titan s'assit juste devant le futon où Charles était installé. Il fixa Charles en attendant l'ordre suivant.

— Assis, reste et regarde-moi, dit Charles.

Il brassa les cartes encore une fois. Titan rabattit ses oreilles vers l'arrière, mais ne bougea pas de là.

— Bon chien! dit Charles. Couché!

Titan se coucha. Son regard faisait des va-et-vient entre le visage et les mains de Charles. Titan ne bougea pas d'un poil quand Charles brassa les cartes encore une fois. Le tenir occupé semblait l'aider, même si c'était seulement en lui ordonnant de se coucher et de ne pas bouger. Ainsi, il était concentré sur autre chose que ce qui l'effrayait. Le truc avait marché dehors, sous la pluie, et ça marchait encore maintenant.

— Bon chien! dit Charles.

Il répéta quelques fois les ordres de s'asseoir et de se coucher, et continua de brasser les cartes jusqu'à ce que Titan devienne indifférent au bruit qu'elles faisaient. Elles semblaient même le fasciner, et il observait attentivement tous les gestes de Charles.

Charles commença à pratiquer le tour des cartes comptées de son livre de magie. Pour commencer, il fallait connaître la première carte sur le dessus du paquet. Puis, il fallait faire semblant de brasser, mais en gardant cette carte toujours sur le dessus. Le tour complet dépendait de ça. Charles plaça le deux de carreau sur le dessus, puis essaya de brasser tout en le gardant là.

Titan observa Charles de près, tandis qu'il brassait les cartes, encore et encore. Ils étaient tous les deux si concentrés que Charles fut surpris quand le disque des Beatles se termina. Il s'aperçut que tout était tranquille, dehors. L'orage était passé. Il se leva pour aller mettre un autre disque, car il voulait encore pratiquer son tour.

Il fouilla dans la pile et s'arrêta sur « Les bruits de la nature ». Sur le boîtier, il y avait une photo d'un ciel d'orage, zébré par un gros éclair. Il le retourna pour lire le contenu : « Cascades », « Chant du huard », « Vagues sur la plage ».

— Hé! dit-il en s'adressant à Titan. Écoute celle-là : « Orage d'été ».

Titan s'approcha pour regarder de quoi il parlait.

— Et si on utilisait ce disque pour te désensi-machin-chose au bruit du tonnerre? proposa-t-il.

Titan tourna la tête et fixa Charles.

Hein?

— Regarde, dit-il. On va mettre le disque à faible volume et tu vas entendre le tonnerre, mais pas fort du tout. Pendant que le disque va tourner, on va faire des exercices d'obéissance, comme « Assis! », « Viens! », « Couché! » et « Reste! », pour détourner ton attention. Je vais aussi te donner des gâteries. Et des tonnes de caresses. Puis, petit à petit, je vais augmenter le son, comme j'ai fait avec les cartes tout à l'heure, toujours de plus en plus fort. Au bout d'un moment, peut-être que le bruit du tonnerre ne te dérangera plus!

Titan détourna la tête. Charles savait que le grand chiot ne pouvait pas avoir compris tout ce qu'il avait dit. Néanmoins, Charles était très excité. Il avait vraiment l'impression d'avoir trouvé la bonne méthode pour guérir Titan de ses frayeurs. Titan et lui passèrent le reste de l'après-midi dans la salle de yoga. Ils travaillèrent pendant un moment avec le disque, pour que Titan s'habitue aux bruits de tonnerre. Puis Charles pratiqua encore son tour de cartes, avec Titan qui observait chacun de ses mouvements. Finalement, tante Amanda entrouvrit la porte et annonça que le souper serait bientôt prêt. Charles se dit que Titan et lui seraient bientôt prêts, eux aussi : prêts à montrer tout ce qu'ils venaient d'apprendre.

CHAPITRE NEUF

— Tu es prête? demanda Charles.

Dès qu'ils eurent terminé leur souper, desservi la table, puis nourri, promené et installé les chiens à l'intérieur, Charles brandit son paquet de cartes et l'agita pour le montrer à sa tante. Il était si tendu que son cœur battait fort et ses mains étaient moites. Faire un tour de magie devant quelqu'un était bien plus difficile que le faire seul ou avec un chien comme seul spectateur.

— Voici mon tour de cartes, annonça-t-il. Il faut prendre le paquet et en retirer huit cartes, comme ceci.

Il retira huit cartes, tout en les comptant à voix haute : « 1, 2, 3, 4, 5, 6, 7, 8. » Puis il en fit une pile, les replaça sur le dessus du paquet et tendit celui-ci à tante Amanda.

— À toi, maintenant! dit-il.

Titan observait attentivement le paquet de cartes qui changeait de mains.

— Pourquoi huit cartes? demanda tante Amanda, un peu curieuse.

— Eh bien... parce que c'est mon chiffre chanceux, dit Charles.

Il pensait que son truc n'allait pas marcher. Il venait de se rappeler que cette histoire de chiffre chanceux devait faire partie de son « boniment ». Le « boniment », ce sont toutes les choses que le magicien dit pendant qu'il manipule les cartes, et c'est très important. En parlant vite et en faisant des blagues, l'attention des spectateurs est détournée des mains du magicien. M. Mystère avait un excellent boniment.

— D'accord, dit tante Amanda.

Elle tendit la main pour compter les cartes, mais s'arrêta brusquement.

— Puis-je les brasser? demanda-t-elle.

Charles ravala sa salive. Il était si tendu et si pressé qu'il avait oublié la première étape. C'était lui qui était censé brasser les cartes devant son auditoire pour faire croire qu'elles étaient bien mêlées, même s'il savait que le deux de carreau était sur le dessus parce qu'il l'y avait mis. Pourtant, il avait pratiqué toute la journée! Comment avait-il pu oublier?

Titan s'avança et vint frotter son museau contre l'oreille de Charles.

Ça ne va pas? Quelque chose te dérange?

Charles sourit à Titan. Le grand chiot semblait avoir compris que quelque chose n'allait pas.

— Ça va, Titan, dit Charles. Ne t'en fais pas.

Il se retourna vers sa tante.

— Bien sûr que tu peux les brasser, répondit-il tout en se disant qu'il avait complètement raté son tour de magie.

S'il avait été un vrai magicien, comme M. Mystère, il aurait pu faire un autre truc et ainsi masquer son erreur. Mais pour le moment, il ne connaissait qu'un seul tour. Il regarda tante Amanda qui brassait les cartes, persuadé que le tour ne marcherait pas. Évidemment, il pouvait essayer de placer une autre carte sur le dessus du paquet, mais elle risquait de s'en apercevoir. Il fallait qu'il recommence à pratiquer ce tour autant de fois que nécessaire, jusqu'à ce qu'il le maîtrise bien.

— Alors, maintenant je compte les cartes? demanda tante Amanda quand elle eut fini de les brasser.

— Tu sais… dit Charles. On laisse tomber. Je vais plutôt te montrer ce que Titan a appris. C'est bien mieux qu'un tour de magie!

Tante Amanda sourit et déposa les cartes sur la table.

— Super! Je suis impatiente de voir ça, déclara-t-elle.

Charles demanda d'abord à Titan de s'asseoir, puis de se coucher.

Tante Amanda haussa un sourcil, l'air de se dire qu'il n'y avait là rien d'impressionnant.

— Ce n'est pas le principal, ajouta Charles. Regarde bien la suite. Titan, reste!

Charles avait apporté le lecteur numérique dans le séjour. Titan était couché, sans bouger, avec ses deux grosses pattes avant croisées l'une sur l'autre, devant lui. Charles s'approcha du lecteur et appuya sur le bouton de démarrage.

Des grondements de tonnerre emplirent la pièce, d'abord très doucement. Charles retourna auprès de Titan. Il le fit se lever, se rasseoir, puis marcher au pied en faisant le tour de la pièce. Il sortit de ses poches des petites gâteries qu'il lui donna, avec beaucoup de caresses et de mots d'encouragement. Titan se comportait parfaitement. Il se rendait à peine compte des bruits de tonnerre enregistrés, semblait-il. À chaque tour de pièce, en passant devant le lecteur, Charles remontait le volume un tout petit peu. Tante Amanda approuvait de la tête et souriait tout en regardant.

Charles fit une dernière fois le tour de la pièce avec Titan, puis il lui dit de s'asseoir et de rester. Titan s'assit calmement, la tête bien droite et les oreilles dressées. Il attendait la suite des ordres. Charles alla monter encore un peu le volume du lecteur.

— Viens, Titan! dit-il en se tournant vers le chiot.

Comme d'habitude, Titan se précipita vers Charles. Mais au lieu de s'arrêter et de s'asseoir gentiment devant lui, il glissa sur le plancher de bois verni. Charles fit un pas en arrière pour se retirer du chemin. Mais il buta contre un portemanteau qui tomba en faisant beaucoup de bruit. Titan bondit dans les airs.

Saint Macaroni du Ciel! Au secours!

Le grand chiot se précipita derrière le canapé et se tapit par terre, tout tremblant et gémissant.

Charles grogna. Pourtant, ils avaient bien travaillé. Il alla éteindre le lecteur de CD mais, par accident, il monta le volume : *Boum! Crac!* Les grondements de tonnerre remplirent la pièce. Charles chercha le bon bouton et finit par éteindre l'appareil. Titan était en train d'essayer de se cacher sous le canapé.

— Pardon! Pardon! Mille fois pardon, Titan! dit Charles en allant vite le rejoindre pour le caresser. Tout va bien. L'orage est fini. Tu n'as rien.

Titan tremblait et frissonnait.

Je n'en suis pas si sûr! Ce bruit va finir par avoir ma peau!

Tante Amanda vint s'agenouiller auprès de Titan.

— Il va s'en remettre, dit-elle à Charles.

— Mais il est pire qu'avant! s'exclama-t-il. J'ai tout gâché. Tout est à recommencer.

Il était si déçu qu'il faillit se mettre à pleurer. Sa tante l'entoura de ses bras.

— Mais non, pas du tout, répliqua-t-elle. C'est comme pour ton tour de magie. Il faut du temps et de la patience pour mettre au point un tour de cartes. Et il faudra du temps et de la patience pour que Titan surmonte complètement ses frayeurs. Ce que tu as fait, c'est déjà un excellent début. Je l'ai bien vu. Les Boisvert vont pouvoir utiliser ta méthode pour l'aider à se maîtriser.

— Titan est vraiment un chien formidable, dit-il en refoulant ses larmes. Si les Boisvert décident de ne pas le garder, je vais demander à maman et papa si nous pouvons l'adopter. Je suis avec lui depuis seulement quelques jours et c'est déjà mon ami.

Ces mots lui étaient sortis de la bouche involontairement. Il en était lui-même surpris. Il réalisa qu'il était déjà très attaché à Titan.

Sa tante leva un sourcil.

Charles savait ce que cette mimique signifiait : « Bonne chance, si tu veux convaincre tes parents d'avoir un second chien ! » *Surtout qu'il a la taille d'un poney et qu'il a encore peur de son ombre !* se dit-il. Il soupira et partit vers sa chambre en traînant les pieds, Titan sur les talons.

CHAPITRE DIX

Le lendemain matin, Charles se réveilla très tôt. Le soleil venait tout juste de se lever et ses rayons commençaient à passer entre les lamelles des stores.

— Viens, Titan, dit-il. On est restés enfermés dans la maison tout l'après-midi, hier. Profitons du soleil pour aller dehors.

Qui pouvait savoir dans combien de temps le prochain orage allait arriver?

Charles enfila ses jeans et ses espadrilles, et mit la laisse à Titan. Il attrapa une banane pour lui-même et une grosse poignée de biscuits pour chiens pour Titan.

— Je parie que nous serons rentrés avant que

tante Amanda se réveille, chuchota-t-il à l'oreille de Titan.

Il laissa quand même un petit mot : « Partis au ruisseau. De retour bientôt. – Charles et Titan »

Ils sortirent de la maison et traversèrent le pré. Titan trottait au côté de Charles. Les hautes herbes étaient humides de rosée et, en quelques secondes, les espadrilles de Charles furent trempées. Mais peu importait. C'était un beau matin, calme et serein. Les oiseaux se répondaient les uns aux autres dans les arbres, à la lisière du pré.

Charles n'avait pas oublié ses échecs de la veille. Néanmoins, il se sentait mieux maintenant et plus confiant tout en marchant avec Titan. Difficile d'être de mauvaise humeur par un si beau temps!

Ils pénétrèrent dans la forêt. Charles surveillait où il mettait les pieds dans le sentier, à cause des racines et des pierres. Il se rappelait l'incident survenu deux jours plus tôt, quand Titan l'avait traîné, sur ce même sentier, parce qu'il avait eu peur d'une couleuvre.

— Dis donc, toi! dit-il à Titan. Te rends-tu compte? Nous venons juste de passer où il y avait la couleuvre et tu ne t'es même pas arrêté une seconde!

Il plongea la main dans sa poche.

— Bon chien, Titan! dit-il en lui lançant un biscuit. On dirait bien que tu commences à apprendre.

Titan attrapa le biscuit au vol et n'en fit qu'une bouchée.

Miam! Encore un?

— Tu en veux un autre, hein? proposa Charles en éclatant de rire.

Il lança un autre biscuit à Titan. Puis ils se dirigèrent vers le petit étang, près de la cascade. Titan entra dans l'eau et but en faisant beaucoup de bruit avec sa langue.

Le ciel était toujours bleu. Charles décida donc de longer le ruisseau, pour voir où il allait.

— Marche, Titan! dit-il en tirant sur sa laisse, car le grand chiot hésitait à le suivre.

On n'est jamais allé de ce côté. Est-ce que je vais avoir peur?

— Pas de problème, Titan! affirma Charles. Je vais prendre soin de toi. Marche!

Il tapa sur sa cuisse et Titan se mit à trotter à son côté. Ils longèrent le ruisseau en zigzaguant entre les grandes fougères et les gros rochers couverts de mousse.

Ils arrivèrent dans une petite clairière bordée par le ruisseau d'un côté et par une épaisse forêt de l'autre.

— Je ne vois pas de sentier, dit Charles. Je crois que nous devrions revenir sur nos pas.

Au moment même où il se retournait, quelque chose surgit de la forêt. Un animal, un *gros* animal. Qu'est-ce que c'était? Un chevreuil? Un cheval? Charles sentit que son cœur se mettait à battre très fort. Puis il comprit : c'était un orignal! Un orignal brun en chair et en os, avec une grande ramure et tout le reste. Il était géant, cent fois plus gros que Charles ne l'aurait imaginé.

L'orignal se dirigea vers le ruisseau sans même les regarder. Charles resta parfaitement immobile. S'ils ne faisaient pas de bruit et ne bougeaient pas, l'orignal ne les verrait peut-être pas. Et s'il les voyait, que se passerait-il? Foncerait-il sur eux? Charles ne savait rien sur les orignaux. Orignaux ou orignals? Il rit nerveusement en réalisant qu'il n'était même pas sûr de la forme du pluriel. Puis il se rappela qu'il devait plutôt s'occuper de son géant, avant qu'il ne prenne peur.

— Assis! chuchota-t-il à l'oreille de Titan.

Titan s'assit immédiatement à côté de Charles et leva la tête en attendant l'ordre suivant.

— Bon chien! chuchota-t-il. Reste!

L'orignal l'avait probablement entendu. Il tourna la tête dans leur direction et se mit à avancer lentement vers eux. À chaque pas, ses pattes se pliaient d'une drôle de façon.

Titan n'eut pas peur. Il ne tenta pas de s'enfuir. Il ne gémit pas et il ne se cacha pas derrière Charles. Au contraire, il vint s'asseoir entre Charles et l'animal qui approchait.

Pas de souci! Je vais te protéger.

Un peu plus tard, l'orignal sembla ne plus leur porter intérêt. Il fit demi-tour, se dirigea vers la forêt et s'enfonça dans l'épais sous-bois.

— Oh! Titan! s'exclama Charles en se mettant à genoux et en enlaçant le cou du grand chiot. Tu as été si brave!

Il serra Titan dans ses bras pendant un bon moment, jusqu'à ce que son cœur cesse de battre la chamade. Jamais aucun chien n'avait fait une chose pareille pour lui. Ils repartirent tous les deux au pas de course dans le sentier, à travers le pré, puis jusqu'au chalet.

— Tante Amanda! cria Charles avant même d'avoir passé le seuil du chalet. Tu ne devineras jamais ce qui est arrivé. Titan est le plus brave de tous les chiots du monde!

Il s'arrêta net, car il venait d'apercevoir trois autres personnes dans la cuisine : un homme, une femme et une fillette.

Titan galopa vers la fillette et se mit à lui lécher le visage de sa longue langue baveuse. Il était beaucoup plus grand qu'elle, mais elle ne semblait pas effrayée. Bien au contraire, elle l'étreignit et frotta son visage contre son poil.

— Titanou! dit-elle. Tu m'as manqué!

Charles regarda sa tante.

— Charles, je te présente les Boisvert, les maîtres de Titan, annonça-t-elle. Ils s'ennuyaient tant de lui que, ce matin, ils ont décidé de venir le chercher jusqu'ici en voiture.

— Mais… je croyais que… balbutia Charles.

Alain Boisvert hocha la tête.

— Nous ne nous estimions plus capables d'endurer ses frayeurs, dit-il. Mais une fois qu'il a été parti pour le week-end, la maison nous a semblé si vide! Nous nous sommes rendu compte qu'il faisait vraiment partie de la famille. Nous en avons discuté et nous avons compris que nous étions prêts à faire l'impossible pour le garder.

Il regarda Charles d'un drôle d'air.

— Tout à l'heure, tu as dit que Titan était brave, ajouta-t-il. Que voulais-tu dire exactement?

Charles raconta toute l'histoire. Puis tante Amanda expliqua comment Charles s'y était pris pour entraîner Titan à ne plus avoir peur.

— Charles a vraiment fait un travail de magicien! dit-elle aux Boisvert. Vous allez tout de suite vous rendre compte que Titan est sur la bonne voie. Maintenant, c'est un chiot plus heureux et beaucoup plus sûr de lui.

— Nous te remercions beaucoup, Charles, dit M. Boisvert en lui serrant la main.

Charles voulut répondre, mais il avait la gorge serrée. Il était à la fois content pour Titan et triste. Il savait que ses parents n'auraient probablement jamais accepté d'adopter le grand chiot, mais il s'était quand même plu à en rêver.

Mme Boisvert lui sourit.

— Tu pourras venir le voir aussi souvent que tu voudras, dit-elle, comme si elle avait lu dans ses pensées. Il faudra que tu nous apprennes la bonne façon de nous y prendre avec lui.

Les Boisvert entourèrent Titan et le caressèrent, l'embrassèrent et lui dirent qu'ils étaient très heureux de le revoir. Charles comprenait ce qu'ils ressentaient envers Titan, car il ressentait la même chose envers Biscuit. Il s'ennuierait beaucoup de Titan, mais il savait que celui-ci retournait chez lui, dans sa famille pour toujours.

Il plongea la main dans sa poche et en sortit son jeu de cartes. Caroline semblait être le genre de fille capable de s'intéresser à un bon tour de magie!

EN SAVOIR PLUS SUR LES CHIOTS

Ton chien a-t-il peur de tout? Mon chien Django avait peur du tonnerre et des boîtes aux lettres rouges bariolées que l'on voit au coin des rues.

Élever un chien extrêmement peureux est un véritable défi. Charles a eu de la chance de trouver rapidement quelques trucs qui marchaient bien avec Titan. Mais ce n'était qu'un début!

Si ton chien a peur de son ombre, tu peux essayer quelques-uns des trucs de Charles. Tu devrais aussi en discuter avec un entraîneur de chiens compétent ou avec un spécialiste du comportement animal.

Il faut souvent beaucoup de temps et de patience pour arriver à rendre un chien plus sûr de lui et plus heureux. Mais le résultat en vaut vraiment la peine! Ton chien et toi, vous vous aimerez plus que jamais.

Chères lectrices, chers lecteurs,

J'adore les danois. Ces gentils géants ont vraiment quelque chose de très spécial! Il y a très longtemps, je connaissais un danois gris et noir qui s'appelait Hoss. (Un danois qui fréquente la garderie de tante Amanda porte son nom.)

Quand j'ai décidé d'écrire un livre dont le héros serait un chiot danois, je suis allée en rencontrer un qui appartenait à quelqu'un que je connaissais. J'ai stationné dans l'entrée de garage et j'ai éclaté de rire quand j'ai vu la grosse tête de Hooligan qui me regardait par la fenêtre de la porte d'entrée, à presque un mètre et demi de hauteur! Pourtant, l'énorme Hooligan était le plus doux et le plus gentil des chiens. Par la suite, je suis allée voir son éleveur et j'ai pu jouer avec une bande de chiots de dix semaines, tous plus adorables les uns que les autres. Ce genre de recherche est vraiment ce que je préfère, dans mon travail d'écrivaine.

MISSION : ADOPTION

GLAÇON

ELLEN MILES

Éditions SCHOLASTIC

Caninement vôtre,
Ellen Miles

Si tu veux en savoir plus sur un autre chiot qui cherche une bonne maison, lis GLAÇON.

Comment faire le tour
de magie avec les cartes

1) Vérifie bien la première carte sur le dessus du paquet. Disons que c'est le 10 de trèfle.

2) Brasse les cartes devant ton auditoire, mais *en prenant bien soin de garder le 10 de trèfle sur le dessus du paquet!* (Il faut un peu de pratique. En même temps, tu peux faire un peu de boniment au sujet de tout et de rien, afin de détourner l'attention de ton auditoire.)

3) Retire du dessus du paquet un nombre de cartes égal à ton chiffre chanceux ou demande celui de quelqu'un d'autre, dans ton auditoire. Il vaut mieux que ce nombre soit supérieur à 3, mais inférieur à 10. Compte les cartes à voix haute tout en les retirant.

4) Remets sur le dessus du paquet la petite pile de cartes que tu viens de compter et donne le paquet à quelqu'un. Demande à cette personne de compter le même nombre de cartes, comme tu viens de le faire.

5) Tu devines la suite? Ta carte, le 10 de trèfle, est maintenant sur le dessus de la petite pile *de cette personne.*

6) Dis : « Regarde la première carte sur le dessus de la petite pile que tu viens de compter et mémorise-la. » Puis remets la petite pile n'importe où dans le gros paquet.

7) Prends toutes les cartes et brasse-les normalement ou demande à la même personne de le faire. Cela n'a aucune importance, car tu connais la carte que cette personne a mémorisée.

8) Reprends toutes les cartes, puis retourne-les une à une en les alignant sur la table. Quand tu vois la carte mémorisée (le 10 de trèfle, dans notre exemple), fais semblant de ne pas l'avoir remarquée et continue en retournant 3 ou 4 cartes de plus. Puis dis : « Et voici le moment magique! La prochaine carte que je vais retourner sera la tienne! » La personne qui a mémorisé la carte va penser que tu as raté ton tour de magie, puisque cette carte est déjà sur la table.

9) Avance ta main et retourne à l'envers la carte mémorisée par l'autre (le 10 de trèfle, dans notre exemple). Ha! Ha! Tu as retourné la bonne carte, exactement comme tu l'avais dit! Et tu as bien berné ton auditoire!

À PROPOS DE L'AUTEURE

Ellen Miles adore les chiens et prend énormément de plaisir à écrire les livres de la collection *Mission : Adoption*. Ellen Miles habite au Vermont et fait tous les jours des activités de plein air, comme la randonnée à pied ou à bicyclette, et le ski ou la natation, selon les saisons. Elle aime aussi lire, faire la cuisine, visiter tous les coins de l'État magnifique où elle habite, jouer avec des chiens et passer du temps avec sa famille et ses amis.

Si tu aimes les animaux, tu adoreras les belles histoires de la collection *Mission : Adoption*.